Cwymp yn y Chwarel

Anturiaethau chwarelwr ifanc

Siân Lewis

Darluniwyd gan Robin Lawrie

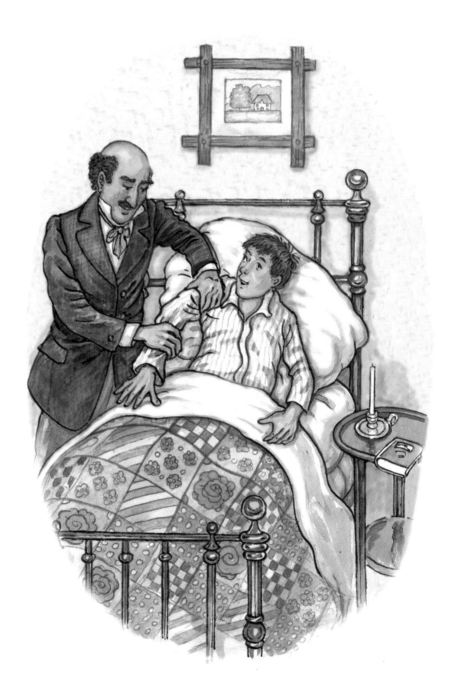

Plygodd y doctor drosta i.

'Cudyll,' dwedais. Ro'n i'n siarad rhibidirês am fod ofn arna i. 'Tydi o'n enw da i gar gwyllt? Mae'r cudyll glas yn gwibio drwy'r awyr fel mellten.'

Chwarddodd y doctor, ac archwilio fy ysgwydd.

'Ydi,' meddai, 'ond paid â chynhyrfu rŵan.'

Chymerais i ddim sylw, dim ond siarad yn gynt nag erioed.

Jac Edwards ydw i, dwedais. Dwi'n dair ar ddeg oed ac yn gweithio yn chwarel lechi Graig Ddu. Mae Graig Ddu ar ochr y mynydd gyda chledrau haearn yn arwain tuag ati. Bob bore 'dan ni'r gweithwyr yn cael ein tynnu mewn cert i fyny'r cledrau, ond does dim cert ar ein cyfer fin nos.

''Dach chi rioed wedi cerdded i lawr mynydd ar ôl diwrnod caled o waith a phob asgwrn yn brifo, ydach chi?' dwedais wrth y doctor. Mae'n anodd! Rybelwr bach ydw i, 'dach chi'n gweld. Fy ngwaith ydi clirio'r rwbel, sef y gwastraff sy' dros ben.

I wneud llechi, rhaid cael cerrig, ac i gael cerrig rhaid drilio twll yn y mynydd, ei lenwi â phowdwr a thanio. Bŵm! Mae'r graig yn hollti a'r cerrig yn disgyn. Yn gymysg â'r cerrig mawr sy'n cael eu defnyddio i wneud llechi, mae 'na gawodydd o gerrig mân sy'n dda i ddim. Dyna ichi'r rwbel. Mae 'na dunelli o rwbel i'w clirio. Dyna pam dwi wedi blino'n lân ar ddiwedd y dydd. A dyna pam mae arna i angen car gwyllt.

Mewn car gwyllt 'dach chi'n cyrraedd gwaelod y

mynydd mewn wyth munud – neu'n gynt hyd yn oed, dim ond i chi ofalu peidio â syrthio a thorri asgwrn.

Mae'r car gwyllt yn wych o beth, er ei fod o mor syml. Bar haearn ydi o, efo darn yn sticio allan un pen – fflans ydi enw'r darn hwnnw – ac olwyn a darn o bren y pen arall. Mae'r fflans a'r olwyn yn ffitio ar y ddwy reilen yng nghanol y cledrau. 'Dach chi'n eistedd ar y pren ac – wwsh! – i lawr y mynydd â chi.

Mae gan bawb bron iawn gar gwyllt. Mi gewch chi un gan Lloyd y Gof am bum swllt, ond mae pum swllt yn dâl mis i mi. Ydi, wir! Ar y Sadwrn tâl diwetha dim ond pum swllt a dwy geiniog ges i am fis cyfan o waith caled. Wel, mis ond diwrnod.

Pam collais i ddiwrnod? Mi ddweda i wrthoch chi. Wythnos i ddydd Llun diwetha oedd hi – pump o'r gloch y bore – a Mam yn gafael yn fy ysgwydd ac yn galw arna i i godi. Roedd y sêr yn dal i wincian drwy'r rhew ar y ffenest, felly mi drois at y wal a chladdu fy wyneb yn y dillad. Eiliad yn ddiweddarach ro'n i wedi neidio o'r gwely. Roedd Mam wedi syrthio, wedi troi'n gam a disgyn ar ei hyd ar lawr. Deffrodd Mary, fy chwaer, a rhedeg i helpu. Gyda'n gilydd mi godon ni Mam a'i rhoi i eistedd ar erchwyn y gwely. Yn y tywyllwch roedd ei hwyneb mor wyn â'r lleuad. Roedd hi'n gwasgu'i dannedd yn dynn, a'u sŵn fel sŵn crensian y gowjan yn y chwarel. Rhois fy mraich am ei hysgwydd a rhedodd Mary i nôl cadach gwlyb i roi ar ei phen-glin chwith.

Erbyn i Mam godi ar ei thraed, roedd yr amser wedi hedfan a minnau'n hwyr i'r gwaith. Gadewais y tŷ heb fy

mhotel de, efo stumog wag a dim ond darn o fara yn fy nhun bwyd. Roedd y dynion eraill wedi hen fynd, gan adael stremp o olion traed ar y barrug gwyn. Rhedais ar hyd y llwybr gan bwffian fel injan. Os cyrhaeddwch chi'r chwarel yn hwyr, gall y stiward, George Watson, eich gyrru adre'n syth a gwneud i chi golli diwrnod o waith. Ond wrth i mi daranu ar hyd y llwybr, pwy welais i'n camu allan o 'mlaen, ond neb llai na George Watson ei hun. Roedd o'n hwyr hefyd. Am lwc!

'Bore da, Mr Watson,' galwais yn gwrtais.

Edrychodd y stiward dros ei ysgwydd a gwenu drwy'i ddannedd.

'Bore da, Jac Edwards,' meddai.

'Doedd hi ddim yn fore da i Mam, cofiwch,' dwedais, ac wrth gyd-gerdded ag o, soniais am hanes Mam yn cael codwm.

Dwi'n meddwl ei fod o wedi deall. Er nad ydan ni'n siarad yr un iaith, mi nodiodd yn ddigon caredig. Yna i mewn â ni'n dau i'r gert a mynd ar ein taith i ben y mynydd. Ddwedodd Mr Watson 'run gair nes i ni gyrraedd y top. Yna, wrth imi gamu allan o'r gert, sythu fy 'sgwyddau ac edrych o gwmpas am weddill y criw, meddai'r stiward yn ei lais cryg, 'Rwyt ti'n hwyr i'r gwaith, hogyn.'

'Ydw, syr,' atebais.

'Ac rwyt ti'n gwybod beth yw'r gosb?'

'Syr?' Am eiliad meddyliais fod gan yr hen George dipyn o hiwmor wedi'r cyfan, a'i fod yn tynnu 'nghoes 'run fath â'r dynion eraill. Ond mi drodd tuag ata i heb wên ar ei wyneb.

'Adra â chdi,' meddai. 'Dim gwaith i chdi heddiw. Rwyt ti'n hwyr a dyna'r rheol.' A dyma fo'n troi ar ei sawdl, a 'ngadael i i gerdded y pedair milltir yn ôl adre, heb gyfle i ennill ceiniog.

Rŵan be 'dach chi'n feddwl o hynna?

On'd oedd o'n llym ac yn annheg? Wnaeth o ddim dweud wrtha i am fynd adre pan gyfarfyddon ni ar y llwybr. O na. Roedd yn rhaid iddo aros nes imi gyrraedd y chwarel. Wnaeth George Watson ddim cosbi ei hun am fod yn hwyr chwaith. Ni'r chwarelwyr sy'n cael ein cosbi, er mai ni sy'n gwneud y gwaith. Ni sy'n ennill pres i gadw'r meistri yn eu tai crand, ond ni sy'n dioddef.

'Dach chi'n meddwl 'mod i wedi dweud hynna wrtho'n blwmp ac yn blaen, tydach?

Wel, wnes i ddim. Dyna'n union be oedd o isio, ond ro'n i'n benderfynol o'i siomi. Felly mi wasgais fy nannedd mor dynn ag y gwnaeth Mam druan, a cherdded i ffwrdd yn hamddenol a 'nhrwyn yn yr awyr. Ond cyn gynted ag o'n i allan o'i olwg o, i ffwrdd â fi fel y gwynt, gan rasio'r ceirt llechi oedd yn clecian i lawr yr inclein at y trên.

Mae ein llechi ni'n mynd i bob cwr o'r byd, wyddoch chi. Maen nhw'n llechi gwerth chweil, sy'n cadw pawb yn sych ac yn ddiddos. Pawb ond y chwarelwyr, ond mi ddweda i'r stori honno'n nes ymlaen.

Ar y pryd roedd fy mhen i'n berwi. Mi redais i lawr y llwybr a 'nghoesau'n troi fel olwynion, yn gynt ac yn gynt. Cyn pen dim ro'n i ar wastad fy nghefn, ac yn rowlio'n bendramwnwgl i lawr y rhiw. Glaniais mewn pentwr o

rwbel a haul y bore'n disgleirio i fyw fy llygaid.

'Aw!' gwichiais. 'Aw! Aw! Aw!'

Stryffagliais i godi ar fy eistedd. Wrth imi wneud, mi 'styrbiais y rwbel. Llithrodd darnau ohono o ben y pentwr a chlecian yn swnllyd i lawr y llwybr. A dyma fi'n gweld rhywbeth yn dod i'r golwg yn y twll oedd ar ôl.

Neidiais ar fy nhraed gan anghofio bob poen a diflastod. Be oedd yn y twll ond hen far haearn rhydlyd. Ond nid bar cyffredin. Bar haearn â fflans ar un pen!

Darn o gar gwyllt!

Wnes i ddim aros i feddwl sut oedd y car gwyllt wedi glanio o dan y rwbel. Mi gydiais yn y fflans yn syth bin a thynnu 'ngorau glas.

Pan ildiodd y bar a llithro allan o dan y rwbel, ro'n i ar ben fy nigon. Gwaeddais yn uchel a rhedeg am adre gyda gwên cyn lleted â bargen ar fy wyneb.

Mi ddychrynodd Mam am ei bywyd. Roedd hi'n sefyll wrth ddrws y tŷ efo'r sach yn barod am ei hysgwyddau. Er bod ei phen-glin yn dal yn boenus, roedd hi'n benderfynol o fynd i lanhau at Mrs Davies Fron-wen fel arfer. Sut bynnag, mi anghofiodd am y boen pan welodd hi fi'n rhedeg tuag ati gan chwifio'r bar haearn.

'Jac!' meddai mewn llais main.

Daeth Mary i'r golwg.

'Jac!' sgrechiodd hithau mewn braw. 'Pam wyt ti'n ôl adra?'

'Peidiwch â phoeni,' galwais gan redeg tuag atyn nhw. Ond mi gamon nhw'n ôl fel petaen nhw wedi gweld ysbryd. Ac mi oeddan nhw i raddau.

Dwi'n debyg i 'nhad, wyddoch chi. Yr un gwallt brown tywyll. Yr un llygaid glas disglair. Yr un wyneb hir, main a thrwyn mawr cam. Yr un dymer wyllt. Dyna sy'n dychryn Mam.

David Joshua Edwards – Dei Joss – oedd 'nhad, ond 'Cudyll' oedd ei enw yn y chwarel. Mae 'na 'jac-dos' yn y chwarel hefyd. Nhw ydi'r dynion sy'n cael cyflog isel iawn. Ond cael ei lysenwi'n 'Cudyll' o achos ei drwyn wnaeth Tada, ac am ei fod o'n weithiwr cyflym. Roedd o'n arfer gweithio yn chwarel Braich.

'Dach chi'n cofio imi ddweud bod y llechi'n cadw pawb yn ddiddos heblaw am y gweithwyr? Wel, dyma be ddigwyddodd yn chwarel Braich. Saith mlynedd yn ôl doedd gan chwarelwyr Braich nunlle i gysgodi. Roeddan nhw'n gorfod gweithio ym mhob tywydd, ac ar ben hynny, yn gorfod bwyta'u tocyn canol dydd yn yr awyr agored. Be wnaethon nhw felly? Mi adeiladon nhw gaban bach rhwng oriau gwaith, er mwyn cael lle i gysgodi rhag yr oerni, y gwynt a'r glaw.

Syniad da, 'te? Syniad da i bawb ond y meistri. Doedd y cnafon snobyddlyd hynny ddim am i'r gweithwyr gael to dros eu pennau. Mi benderfynon nhw osod cledrau yn yr union fan ble safai'r caban, er mwyn cael esgus i'w ddymchwel. Am esgus creulon! Aeth 'nhad o'i go'. Mi gododd far haearn a tharo'r cledrau nes bod y sŵn yn diasbedain dros y creigiau. Gyrrwyd Tada adre'r diwrnod

hwnnw, ac yn fuan wedyn bu farw o niwmonia. Mae Mam yn meddwl mai ar ei dymer wyllt oedd y bai. Mae hi'n meddwl fod y dymer wyllt wedi sugno'r nerth o'i gorff.

Dwi ddim yn meddwl hynny o gwbl.

Fodd bynnag, pan welodd Mam a Mary fi'n rhedeg tuag atyn nhw efo bar yn fy llaw a gwên wyllt ar fy wyneb, mi ddychrynon nhw am eu bywydau.

'Mae pob dim yn iawn,' gwaeddais. 'Wnes i ddim byd o'i le. Wel, heblaw bod yn hwyr,' a dyma fi'n dweud hanes George Watson yn fy ngyrru i adre. Wedyn dwedais, 'Mi ffeindiais i gar gwyllt yn y rwbel.'

'Car gwyllt?' meddai fy chwaer, gan sirioli ar unwaith. (Mae Mary'n torri'i bol isio reidio ar gar gwyllt.) 'Ond nid car gwyllt 'di hwnna!'

'Mi fydd o'n gar gwyllt, unwaith ca' i ddarn o bren,' atebais.

'Mae gynnon ni ddarn o hen ddesg yn yr ysgol,' meddai Mary. 'Roedd Mr Davies yn mynd i'w losgi ar y tân, ond …' Gwenodd arna i'n gyffrous. Roedd Mr Davies yn ffrind iawn i mi, gan 'mod i'n dipyn o sgolor, pan o'n i yn yr ysgol.

Felly dyna pam yr es i i lawr i'r pentre y bore hwnnw efo Mary a Mam, ac ro'n i'n falch iawn 'mod i wedi mynd, er mwyn Mam. Ro'n i'n gallu cynnal ei breichiau, er mwyn ei harbed rhag rhoi ei phwysau i gyd ar ei phen-glin. Ro'n i'n falch o gael y darn desg hefyd. Roedd o'n bren cryf ac yn ffitio'r bar haearn i'r dim. Mi dreuliais y diwrnod cyfan yn llosgi'r rhwd oddi ar y bar, yn sythu'r tolc ynddo, yn glanhau, ac yn rhwbio ac oelio.

Mi ddewisais enw i'r car hefyd – Cudyll, ar ôl fy nhad – a'i 'sgythru o o dan y sedd, ynghyd â'r llythrennau J.E. Mae pawb yn cerfio llythrennau cynta eu henwau ar eu ceir gwyllt.

Does gan fy ffrind Tom Jenkins ddim car gwyllt, felly mi ofalais sôn wrtho'r bore wedyn am fy nghar i, rhag ofn iddo weld chwith. Mae Tom yn gweithio i'w dad a dwi'n gweithio i Sam Morris, ac rydan ni i gyd yn rhannu bargen. Wyddoch chi be 'di bargen? Darn o wyneb y graig ydi o. Fedrwch chi ddim cerdded i mewn i'r chwarel a dechrau trin y graig ble bynnag fynnwch chi. Yn gynta rhaid i griw o ddynion ddod at ei gilydd a bargeinio am yr hawl i weithio darn ohoni.

Ar ôl taro bargen, mae'r creigiwr yn gosod ffrwydron ac yn chwythu'r graig. Caiff y pileri mawr sy'n disgyn eu torri'n glytiau llai a'u rhoi i weddill y criw i'w hollti a'u naddu'n llechi. Dwi'n dysgu sut i hollti a naddu. Dwi'n cael ambell glwt gan Sam Morris, a dwi'n medru trin y cŷn a'r morthwyl yn eitha handi erbyn hyn. Ond nid cystal â Tom chwaith. Gan fod Tom yn gweithio i'w dad, mae o'n cael digonedd o glytiau ac yn gwneud llawer mwy o lechi. Dyna pam mae o'n ennill cymaint mwy na fi.

Felly wnaeth Tom ddim gweld chwith. Ond mi ges air o gyngor ganddo fo. Ar y dydd Mawrth oedd hyn, sef y diwrnod ar ôl i mi gael fy anfon adre.

'Paid â dod â'r Cudyll i'r gwaith am sbel,' meddai, 'achos bydd Watson yn cadw'i lygad arnat ti.'

Roedd o'n iawn. Drwy gydol y dydd, mi deimlais lygaid barcud y stiward yn fy ngwylio, a'i gysgod byrdew'n fy nilyn o le i le. Roedd o'n disgwyl i mi gael pwl o dymer, ac yn chwilio am esgus i'm hanfon adre eto. Pe bai o'n gweld y Cudyll, mi fyddai o'n siŵr o ofyn o ble daeth o, ac ella'n ei hawlio.

Felly pwyll oedd piau hi. Mi dreuliais i a Mary nosweithiau lawer yn rhwbio a thwtio'r car gwyllt, nes i Mam ddweud y byddai'n gweld ei golli. Roedd o'n disgleirio fel ornament yn tŷ ni.

Yna, bore 'ma, gyda'r wawr – ia, bore 'ma oedd hi, dwi'n meddwl – i ffwrdd â fi i'r chwarel a'r Cudyll ar fy ysgwydd.

Roedd Tom wedi addo aros amdana i, ac ymlaen â ni ochr yn ochr, efo'r Cudyll rhyngddon ni, rhag ofn i George Watson ddod ar ein traws.

Dim ond dau ddyn arall oedd wedi cyrraedd y gert o'n blaenau. Dau o hogiau Môn oedd y rheiny, David Rees a Ianto Parry. Roedd golwg gysglyd ar y ddau, ond mi ddeffron nhw ar eu hunion pan welson nhw'r car gwyllt.

'Hei,' meddai Ianto, gan dynnu'i fys dros y pren sgleiniog. 'Ble cest ti hwn, was? Wnest ti 'i ddwyn o oddi ar y Lord?'

Chwarddais wrth feddwl am berchennog chwarel yn reidio ar gar gwyllt, yn lle powlio heibio yn ei gerbyd crand.

'Fi wnaeth o,' dwedais. 'O ddarnau o sgrap.'
'Ble mae'r brêc?' gofynnodd David.

'Does 'na 'run,' atebais. 'Does dim rhaid cael brêc.'

'Iechyd! Bydd yn rhaid inni gadw o dy ffordd di heno.'

'Bydd.' Cymerais anadl ddofn, a syllu i lawr y cledrau rhewllyd. Ro'n i am wibio i lawr y llethr y munud hwnnw. Ond aros oedd raid. Roedd gen i un awr ar ddeg o waith o 'mlaen.

Wedi cyrraedd y top, es draw at y pentwr o geir gwyllt. Bob nos, pan mae'r chwarelwyr yn cyrraedd gwaelod yr inclein, maen nhw'n taflu eu ceir i gert, a honno'n cael ei thynnu'n ôl i fyny erbyn y bore. Roedd golwg hen a llychlyd ar y ceir yn y pentwr. O'i gymharu â'r lleill roedd y Cudyll yn disgleirio fel aur pur, felly mi guddiais o yng nghanol y pentwr rhag ofn i rywun gymryd ffansi ato. Neu'n waeth byth, rhag ofn i Mr Watson sylwi.

Roedd hi'n hen fore oer, a golau'r haul yn denau fel gwydr, ond mae rhofio rwbel yn ffordd dda o gynhesu. Theimlais i mo'r oerfel nes eistedd yn ymyl Sam Morris i hollti. Yna mi dynnais fy nghap dros fy nghlustiau a rhwbio 'nwylo ar hyd fy nghoesau, er mwyn i 'mysedd gynhesu digon i afael yn y cŷn a'r morthwyl.

O dan big fy nghap ro'n i'n gweld traed Wil Fron-goch ar wyneb y graig a'r rhaff oedd amdano'n crynu. Roedd Wil yn drilio twll ar gyfer y powdwr. Erbyn iddo orffen a gweiddi 'Ffeiar!' ro'n i wedi hollti fy nghlwt a rhoi fy un llechen ar ddeg mewn pentwr. Dilynais Sam Morris i'r caban mochal, ac ymwthio rhyngddo fo a thad Tom oedd yn ymarfer rhyw benillion ar gyfer yr eisteddfod oedd

wedi'i threfnu yn y caban ganol dydd. Cyn iddo orffen ei berfformiad, mi ffrwydrodd y powdwr. Teimlais y cryndod yn codi drwy'r llawr ac yn llifo drwy 'nghorff. Weithiau dwi'n meddwl y bydd y caban cyfan yn codi i'r awyr a'n cario i ffwrdd. Ond mi beidiodd y cryndod, sadiodd y caban, ac allan â phawb.

Yn syth bin, pwy welais i'n cerdded tuag ata i ond George Watson. Roedd o'n cerdded yn bwyllog a phwysig, a'i fawd yn ei wasgod.

Syllais i'r llawr. Beth petai o isiu siarad â mi? Beth petai o wedi gweld y Cudyll? Roedd pobman yn dawel, dawel; pawb yn gwylio'r stiward ac yn aros iddo ddweud ei neges.

Oedd, roedd pobman yn dawel.

Yr unig sŵn oedd crensian y cerrig dan draed y stiward.

Ac yna …

Teimlais gryndod main ym mêr fy esgyrn.

Rhyw wefr slei.

Rhyw gosi annifyr cynhyrfus.

A'r peth nesa ro'n i wedi rhoi naid tuag at Mr Watson ac … ac …

'Ac … ' Llyncais fy mhoer a rhythu ar y doctor a 'nghalon yn curo fel gordd.

'A beth wedyn?' holodd, gan afael yn fy ysgwydd.

'Ac wedyn dwi'n meddwl 'mod i wedi'i wthio fo i'r llawr,' sibrydais. 'Dwi … A!' Sgrechiais mewn poen wrth i'r

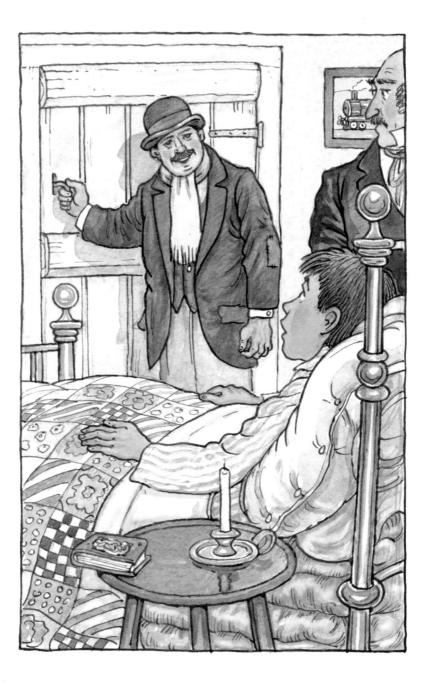

doctor dynnu fy ysgwydd yn ôl i'w lle.

Wrth i'r boen ledu drwy fy nghorff, clywais lais yn dweud, 'Ara' deg!' a bu bron imi sgrechian yn uwch fyth.

Roedd dyn yn sefyll yn y drws, stwcyn o ddyn efo craith ar ei dalcen a chlais enfawr ar ei foch chwith.

'Mr Watson!' llefais. 'Camgymeriad oedd y gwthio!'

'Ia wir?' Edrychodd y stiward arna i'n gam.

'Mae Jac wedi cael cnoc ar ei ben. Dydi o ddim yn cofio be ddigwyddodd yn y chwarel,' meddai'r doctor.

Crebachodd wyneb Mr Watson, er … ella mai gwenu oedd o.

Yna meddai'n araf, 'Carreg enfawr yn disgyn – dyna oedd y cryndod deimlaist ti, Jac. Fel y gwyddost ti, weithiau ar ôl ffrwydrad, mae cerrig uwch yn cael eu hysgwyd o'u lle. Oni bai dy fod ti wedi 'ngwthio i o'r ffordd, mi fyddai'r garreg enfawr wedi disgyn arna i a'm lladd. Mi wnest beth dewr iawn.' Estynnodd ei law ata i.

Wnes i ddim gafael ynddi. Methu credu o'n i, dyna pam.

Nodiodd George Watson, gostwng ei law a throi'n ôl at y drws.

Daliais fy ngwynt.

Mi fydd o'n siŵr o 'nghosbi i, meddyliais. Dyna wnaeth o y diwrnod y syrthiodd Mam. Roedd o'n ddigon ffeind nes inni gyrraedd y chwarel, ond be wnaeth o wedyn? Fy anfon i adre. Ddylwn i ddim fod wedi siarad cymaint.

Ddylwn i ddim fod wedi brolio wrth y dosctor am y Cudyll. Ddylwn i . . .

Stopiodd George Watson a throi tuag ata i.

'Ynglŷn â dy gar gwyllt di, Jac Edwards,' meddai.

'Syr?' mwmiais yn drist.

'Mi ofynna i i Lloyd y Gof roi brêc arno. Byddai'n biti garw inni golli gweithiwr da.' Gwenodd y stiward arna' i. 'Yn enwedig un mor gyflym â chdi.'

Gwenais yn ôl.

'Byddai, syr,' atebais.

RD   8/08